VACHEMENT MOI !

Pour ma chouette
(qui en vérité est une abeille…)

VACHEMENT MOI !

Emmanuel Bourdier

Illustrations de Robin

J'étais vraiment bien plus heureux
Bien plus heureux avant quand j'étais cheval

Jacques Brel

1

Je ne m'appelle pas « 13-NRV ».

Mon vrai prénom est Paul, mais comme tout le monde dans mon école, j'avais hérité d'un surnom qui correspondait à la fin de mon code-barres.

Le mien, on me l'avait tatoué dans la paume de la main lorsque j'étais entré à la petite école et il s'écrivait XWZ1972W13-NRV. Je le connaissais par cœur. J'aimais bien mon surnom, même si « T1ZEN » m'aurait mieux convenu. Mais je n'étais pas le plus mal loti. Mon voisin de classe s'appelait « 1Q9 » : ça, c'est dur !

Ce code était bien pratique pour les adultes qui s'occupaient de nous. Depuis qu'il était devenu obligatoire dans tous les établissements scolaires du pays, on gagnait un temps fou.

Chaque matin, en arrivant, tous les élèves tendaient la main à monsieur Verzy, le concierge. Derrière la vitre de sa loge, ce gros bonhomme chauve qui passait ses journées à boiter et à s'éponger le front, même en plein hiver, était armé d'un appareil en forme de grande sucette. Il le passait devant le code de chacun d'entre nous et aussitôt l'ordinateur posé à ses côtés enregistrait tout ce qu'il y avait à savoir pour la journée : si on mangeait à la cantine, si on allait à l'étude, qui venait nous chercher à seize heures trente, mais aussi nos absences des mois passés, toutes nos notes depuis les petites classes, nos allergies, notre adresse, notre numéro de téléphone, l'âge de nos parents, leur métier, les dents de lait qu'il nous restait, le nombre de chewing-gums que nous avions collés sous les tables, la quantité de petits pois lancés à la cantine, et même le décompte exact des lignes de punition copiées depuis la maternelle.

Ce qui était génial, c'est qu'on pouvait choisir la couleur. Le mien était violet. Avec ça tatoué sur ma peau blanche, j'avais l'impression d'être un superhéros en mission sur Mars.

Et puis nous n'avions plus à nous creuser la tête pour trouver des surnoms aux copains. Il suffisait de lire le code.

Oui, j'avais toujours trouvé ce code bien pratique.

Jusqu'à ce qu'un étrange événement me fasse changer d'avis.

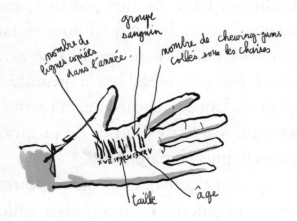

2

Je savais qu'on pouvait faire de très belles envolées en glissant sur des peaux de banane ou des crottes de chien, mais qu'on puisse décoller en dérapant sur une part de flan aux abricots, ça, j'ignorais.

Je ne sais pas non plus ce qu'elle faisait un vendredi matin sur le trottoir devant l'école, mais si l'envol fut gracieux, l'atterrissage le fut beaucoup moins. Sous les rires de mes copains de classe, je me fracassai contre le poteau électrique qui trônait devant l'école avant de m'étaler de tout mon long dans les gravillons. Une chance, A1-2C4 n'était pas là pour me voir me ridiculiser ainsi. A1-2C4 s'appelait en vérité Émeline. C'était une jolie fille blonde avec taches de rousseur intégrées dont la voix rauque semblait directement reliée à mon système cardiaque. Chaque fois que je la croisais dans la cour, je rentrais automatiquement le ventre tout en la regardant d'un air qui se voulait profond. Bref, je faisais le paon, ce qui n'aurait pas été évident pendant ma démonstration de patinage artistique sur pâtisserie.

Bilan de la cascade : un genou qui doubla de volume et des écorchures aux deux mains. Je me relevai en faisant celui qui n'avait pas mal et, rouge comme un derrière de babouin, je me dirigeai vers monsieur Verzy et sa sucette magique.

Notre concierge n'était pas du genre comique. À vrai dire, je l'avais rarement entendu dire autre chose que ces deux expressions quotidiennes : « b'jour » et « au suivant ». Mais ce matin-là, il allait avoir l'occasion d'enrichir son vocabulaire.

Tout en regardant mon genou qui devenait bleu, je lui tendis la main, sans m'apercevoir que le code était coupé en deux par une égratignure. Monsieur Verzy fit glisser le capteur sur ma paume et aussitôt l'ordinateur émit un bref signal sonore.

– Ben v'là aut' chose ! ronchonna notre concierge en consultant l'écran. Bon sang de satané matériel !

Il frotta la sucette contre sa manche et la refit passer au creux de ma main rougie : le même signal et la même expression de monsieur Verzy, proche de celle d'un hippopotame placé devant un problème de mathématiques. Il me fixa un instant et, d'une voix solennelle, il m'annonça :

– Vous ne pouvez pas entrer dans l'établissement.

– Pourquoi ?

– Parce que les animaux sont interdits dans les locaux.

– Vous devez faire une erreur, m'sieur. Je n'ai aucun animal avec moi ! Fouillez-moi si vous ne me croyez pas.

– Je vous crois.

– Alors je peux passer ?

– Non.

– Pourquoi ?

– Parce que les animaux sont interdits dans les locaux.

Un hippopotame avec un cerveau de ver de terre. Je poursuivis en essayant de conserver mon plus beau sourire :

– Mais puisque je vous dis que je n'ai pas d'animal !

– Ça, je vous crois sur parole, mais…

– Mais ?

Monsieur Verzy joua de sa sucette, et alors que la machine produisait son fameux « bip », il désigna gravement l'écran.

– L'ordinateur est formel. Cela ne fait aucun doute. Vous êtes une vache.

3

Monsieur Verzy fut vite dépassé par les événements. Pris entre les deux feux de mes protestations et des « bip » électroniques de l'appareil, il s'échappa en claudiquant et alla chercher le directeur.

Notre directeur s'appelait Darfeux. Zébulon Darfeux. Il portait des costumes à grands carreaux jaunes et des souliers vernis presque verts. Il ne lui manquait qu'une perruque fluo et un nez rouge pour commencer une carrière de clown.

Et surtout, il lui manquait l'humour. À côté de notre directeur, monsieur Verzy était le plus grand blagueur de la galaxie.

Monsieur Darfeux m'ignora, trop occupé qu'il était à observer l'écran en grattant ce qui lui restait de cheveux, c'est-à-dire une vingtaine tout au plus.

– Cela fait quinze ans que je dirige cette école et c'est bien la première fois qu'une vache tente de s'y introduire.

– Si je peux me permettre, monsieur, je ne suis pas une vache ! dis-je le plus poliment possible.

Il se retourna et sembla alors me voir pour la première fois.

– Qui est-ce ? demanda-t-il à monsieur Verzy.

– La vache, monsieur.

– Ah oui… bien sûr. La vache.

– Qu'en faisons-nous, monsieur ? On la

pousse jusqu'au trottoir et on appelle les pompiers ?

– Vous n'y pensez pas, Verzy ! On ne peut pas la renvoyer comme ça en ville. Vous imaginez la panique sur la chaussée ! Non, non, attachez-la à un arbre dans la cour pendant que je téléphone au ministère pour avoir des instructions.

– Oui, monsieur le directeur.

– Je ne suis pas une vache ! Demandez à mes parents ! Je vais vous donner leur numéro.

Le directeur le nota à contrecœur pour faire cesser mes beuglements et partit au petit trot vers son bureau.

Un cercle d'enfants s'était formé autour de moi et un brouhaha s'éleva lorsque monsieur Verzy me noua une corde autour du cou, pour aller attacher l'autre extrémité au châtaigner du centre de la cour. Puis tout le monde entra en classe et le silence retomba sur l'école.

Je demeurai là, assis au pied de l'arbre, ruminant que je n'étais pas une vache mais qu'ils me rendaient chèvre.

À la récréation, mes camarades sortirent des classes en hurlant. Certains me regardèrent comme une bête curieuse, quelques imbéciles firent « meuh » et chacun reprit ses jeux habituels, y compris A1-2C4 qui sembla ne pas me voir et alla s'amuser à chat touche-touche. Un élève de la classe des petits s'arrêta près de mon arbre. Les yeux dans le vague, il farfouilla dans son nez trois bonnes minutes, puis, l'air satisfait, s'agenouilla en me tournant le dos. Il commença à jouer avec trois petits wagons en plastique que tractait une locomotive orange.

Sans savoir pourquoi, je fus fasciné par son jeu et passai le reste de la récréation à l'observer, l'œil rond, jusqu'à ce que la sonnerie retentisse et que le train disparaisse, emporté par son petit chef de gare.

Je pris un chewing-gum dans ma poche pour le mâcher lentement, en repensant à la jolie locomotive.

C'est au moment où le dernier élève disparut dans les couloirs que mes parents entrèrent sous le préau et se dirigèrent vers le bureau du directeur.

4

Une chance, ma corde était assez longue. Je pus aller coller mon œil et mon oreille à la fenêtre entrouverte.

Mes parents étaient là, assis devant le bureau de monsieur Darfeux. Maman avait mis son petit ensemble gris qu'elle n'utilisait que pour les occasions sérieuses. La dernière fois que je l'avais vue habillée ainsi, c'était pour aller expliquer aux gendarmes que notre chien Duf n'avait pas vraiment fait exprès de planter ses crocs dans les fesses de Monsieur le maire lors du discours du 14 Juillet. Papa avait mis le costume qu'il devait avoir acheté au tout début de la préhistoire et il s'était fait la raie sur le côté. Il avait dû être dérangé en plein bricolage, car ses mains étaient encore pleines de cambouis.

Le directeur leur parlait avec sa voix de directeur.

– ... vous comprenez donc bien que dans ces conditions nous ne pouvons pas laisser cet animal déambuler librement dans l'enceinte de notre établissement.

– Bien sûr, monsieur, nous comprenons, dit mon père, qui n'avait jamais aimé contrarier les gens.

Ma mère, elle, décida de résister et desserra les mâchoires.

– Cependant, il me semble qu'il y a peut-être une erreur. Nous connaissons

Paul depuis sa naissance et jusqu'ici rien ne nous a indiqué qu'il puisse être… une vache !

Porté par la conviction de maman, papa reprit du poil de la bête et renchérit :

– Oui… Bébé, il était même allergique au lait de vache…

Monsieur Darfeux eut un rire bref, il fit glisser les lunettes de son front sur son nez et se pencha au-dessus de son bureau en fixant mes parents.

– Madame, monsieur, laissez-moi à présent vous poser une question. Avez-vous la moindre idée du prix de notre ordinateur de contrôle ?

– À vrai dire… non, répondit papa d'un air penaud.

– Une fortune, mon cher monsieur ! tonna le directeur qui s'était levé d'un bond de son fauteuil en faux cuir de buffle.

Une véritable petite fortune ! Pour en faire l'acquisition, la mairie a dû renoncer à son projet de terrain de rugby pour la maison de retraite. C'est l'appareil le plus fiable du marché. Jamais une panne, jamais une erreur. La preuve !

Le directeur souleva sa manche. Sur son avant-bras gauche, je pus distinguer un code-barres rose bonbon. Il y passa la sucette et sur l'écran apparut sa photo, ainsi qu'une liste impressionnante de données. Fièrement, il s'adressa à mon père :

– Voyez vous-même, cher monsieur. Chaque renseignement me concernant est rigoureusement exact. Je vous en prie, lisez à haute voix.

– Vous êtes né un lundi à 10 h 37 ? lut mon père timidement.

– Exact !

– Vous avez huit sœurs aînées.

– Exact !

– Vous avez remporté dix fois le concours régional de pétanque.

– Exact !

– Vous ne portez jamais de slips mais des caleçons à fleurs.

– Ex… Bon, bien… il suffit, coupa monsieur Darfeux en éteignant brusquement l'écran. Vous voilà convaincus, j'espère. Vraiment, vous m'en voyez désolé, mais votre Paul est bel et bien une vache. Il vous faut l'accepter.

Maman baissa la tête. Papa lui prit la main et souffla :

– Il a raison, ma chouette, si l'ordinateur le dit…

N'y tenant plus, je poussai la fenêtre d'un coup de nez et explosai :

– Mais nom d'un bœuf, puisque je vous dis que je ne suis pas une vache ! Je suis un garçon ! Un garçon ! Vous commencez à me courir sur le haricot avec votre ordinateur à la gomme !

– Paul, sois poli avec ton directeur, gronda papa.

– Écoute ton père mon chéri, sanglota maman.

– Écoutez, dis-je plus calmement, je vous propose une chose : laissez-moi vous prouver que je ne suis pas une vache. Si j'y parviens, vous me laissez reprendre ma place à l'école. Sinon…

– Sinon ? interrogea le directeur avec un rictus carnivore.

– Sinon vous serez libres de faire de moi ce que vous voulez : une paire de chaussures, un steak tartare, une descente de lit. Ce que vous voulez. Marché conclu ?

– Marché conclu, répondit le directeur qui sembla soudain un peu fatigué.

– Tout à fait… confirma papa.

– En attendant, enlève tes pattes de cette fenêtre et retourne dans la cour, ajouta maman avec un sourire doux.

5

Je ne parvins pas à m'endormir et passai une partie de la nuit à mastiquer chewing-gum sur chewing-gum. On m'avait installé dans le gymnase. Mes parents avaient insisté pour que je ne dorme pas dehors, mais monsieur Darfeux n'avait pas voulu que je rentre chez moi, de peur que je ne revienne pas à l'école pour l'épreuve de vérité qui devait avoir lieu le lendemain matin. L'honneur de l'Éducation nationale était en jeu. Le gymnase était donc un compromis acceptable. On m'avait descendu quelques tapis de gymnastique pour mon confort, monsieur Verzy avait fait remplir une baignoire d'eau fraîche et avait dégoté une botte de foin. Mes parents, eux, s'étaient chargés de mon pyjama et d'une demi-pizza. Je ne pus me résoudre à l'avaler, car toutes ces péripéties m'avaient coupé l'appétit.

Je repensai aux événements de la journée.

Après les cours, une fois les élèves rentrés chez eux pour ne pas faire leurs devoirs, j'avais essayé de convaincre monsieur Darfeux. Tous les adultes de l'établissement, ainsi que mes parents et l'adjoint au maire chargé des affaires agricoles, m'avaient fait face sous le châtaignier.

– Nous vous écoutons, avait dit monsieur Darfeux.

– Si je suis une vache, comment expliquez-vous que je n'ai pas de cornes ?

Tous s'étaient retournés vers l'adjoint au maire. Le petit homme, qui ressemblait étonnamment à une tortue myope, avait affirmé d'une voix grinçante :

– Vous êtes jeune. Une génisse. Et les génisses n'ont pas de cornes.

– Ce qui explique aussi que vous ne donnez pas encore de lait, avait ajouté monsieur Verzy sous les regards surpris et admiratifs de quelques professeurs.

Je ne m'étais pas laissé démonter.

– Je parle, je ris, je connais presque toutes mes tables de multiplication ! Vous avez déjà vu une vache capable de faire tout ça ?

– C'est vrai ! avait crié mon père.

– J'ai pour ma part une explication, avait alors soufflé madame Juliotte, la maîtresse des moyens, qui nous faisait penser à une oie déplumée sur le dessus. Il se peut que cette génisse ait mangé une quantité importante d'herbe transgénique qui l'aurait transformée.

– Une vache mutante ! avait gazouillé l'adjoint au maire. Fascinant !

Ma mère avait levé les yeux au ciel, mon père avait regardé ses pieds. Quant à moi, j'avais grillé presque toutes mes munitions, il ne m'en restait plus qu'une, celle de la dernière chance.

– Attendez… J'ai l'idée d'une épreuve. Vous connaissez tous le pré du père Rochette qui se trouve sur la route de la station d'épuration ?

Chacun avait acquiescé.

– Eh bien, dans ce pré, il y a un taureau énorme. Il est tellement puissant et dangereux qu'avec les copains on l'appelle

Massacrator. À ses côtés, il n'accepte que les vaches, avec lesquelles il est doux comme un agneau. En revanche, il a pour habitude de pulvériser tout ce qui de près ou de loin ressemble à un homme. Alors allons-y demain. J'entrerai dans le pré et nous verrons bien comment réagira Massacrator.

– Bonne idée, avait approuvé monsieur Verzy.

– Pas bête, pour une vache, avait sifflé l'adjoint.

– Mais c'est dangereux ! avait glapi maman.

– Si mon gamin est écrabouillé, vous serez responsables, avait lancé papa, en grognant, à la cantonade.

– Nous serons vigilants. Cette ultime épreuve me paraît intéressante, avait conclu monsieur Darfeux. Rendez-vous donc au pré à l'aube. En attendant, que chacun se repose.

Avant de me laisser rejoindre le gymnase, maman m'avait gratouillé derrière les oreilles et tous avaient disparu.

La nuit s'écoula lentement, sans que je parvienne véritablement à dormir. Une mouche m'agaçait sans arrêt en se posant à intervalles réguliers sur mon dos. Et puis il y avait mon colocataire. Au fond de la salle, dans les buts de hand, ronflait un élève dont l'ordinateur avait affirmé à la sortie des cours qu'il était un requin. Le malheureux, en maillot de bain, ronflait dans une grande bassine remplie d'eau en attendant son épreuve du lendemain, durant laquelle on lui présenterait des petits poissons frétillants au bout d'un hameçon.

Je ne l'approchai pas et le laissai rou-
piller. D'abord parce qu'il fallait que je
dorme moi aussi.

Et puis un requin…

Mieux valait être prudent.

6

Je fus réveillé par le soleil, ainsi que par les gargouillis de mon estomac.

Je mâchai lentement ma demi-pizza froide, l'esprit totalement embrumé. C'est au moment où je lançais la croûte à mon compagnon de captivité que la porte du gymnase s'ouvrit en grand.

Tous les adultes de la veille étaient là, auxquels il fallait ajouter un journaliste de *Nos amis les bêtes* et mademoiselle Latrille, intervenante en musique, qui était absente hier pour cause de petite opération du palais. Sa huitième. En effet, mademoiselle Latrille souffrait depuis des années d'une légère déformation de l'intérieur de la bouche qui lui provoquait un problème de prononciation : elle inversait les *b* et les *v*. Comme tous les élèves, je l'aimais bien et j'espérais que cette opération avait réussi. À sa vue, j'eus une idée qui allait peut-être m'éviter de me frotter à Massacrator. Sans même prendre le temps d'embrasser mes parents, qui portaient le même ensemble de jogging violet, je lançai en direction de mademoiselle Latrille :

– Mademoiselle, avant d'aller dans le pré, laissez-moi jouer quelque chose à la flûte à bec… S'il vous plaît !

Elle me dévisagea, sidérée, et se tourna vers le directeur.

– C'est incroyable comme cette bache parle vien !

Son opération avait échoué. Mon plan peut-être pas.

– La *Marche turque*, mademoiselle !

Aussitôt, un « ooooooooooooh » courut de lèvres en lèvres. Seul monsieur Verzy semblait ne pas mesurer l'importance de ce qui était en train de se passer. Devant son air interrogateur, mademoiselle Latrille expliqua :

– La *Marche turque* est un morceau extrêmement difficile à interpréter à la flûte à vec. Veaucoup d'élèbes s'y cassent les doigts.

Il y eut un bref conciliabule qui, à moi, me parut bien long, puis monsieur Darfeux annonça :

– C'est entendu. Vous avez dix minutes, pas une de plus.

C'est ainsi que, quelques instants plus tard, tous étaient assis dans les tribunes du gymnase, les yeux fixés sur mes doigts, le souffle suspendu au mien.

Je n'étais pas le meilleur joueur de la classe, mais je me défendais plutôt pas mal. Cependant, jamais je n'étais parvenu à descendre cette Marche-là sans me prendre les pieds dans un canard.

La tension pesait sur mes épaules. Mon père cherchait un dernier ongle à ronger. Ma mère gardait les yeux clos. J'inspirai à fond et attaquai Mozart avec l'inconscience du désespoir.

Les minutes qui suivirent furent magiques. Mes doigts bondissaient tout seuls. Les notes s'enchaînaient comme dans un rêve. Pour la première fois, je parvins à interpréter le morceau sans un accroc et, la dernière note jouée, il y eut un silence

admiratif, puis un tonnerre d'applaudis-
sements. Tout le monde était debout.
Même le requin faisait des bonds dans sa
bassine. Seul monsieur Darfeux, l'œil
soucieux, chuchotait des mots inaudibles
à l'oreille de monsieur Verzy, qui sortit
aussitôt du gymnase en courant. Ma
mère vint m'embrasser et mon père
m'ébouriffa les cheveux avec la main en
répétant : « P'tit bonhomme, va ! Sacré
p'tit bonhomme, va ! » Mademoiselle
Latrille, l'œil humide, vint me serrer la
main. Elle avait une poigne d'ogresse.

– Félicitations, jeune homme. C'était
très veau. Braiment très veau. Je suis
conbaincue. Jamais un animal ne pourrait
ainsi jouer du Mozart. Bous êtes un bir-
tuose de la flûte à vec. Vrabo !

– C'est faux !

C'était une voix de directeur qui avait

hurlé ces mots. Monsieur Darfeux bran-
dissait la feuille imprimée que venait de
lui apporter monsieur Verzy encore tout
essoufflé.

– Notre bien-aimé concierge a consulté
l'ordinateur et j'ai ici la preuve que votre
preuve n'en est pas une !

Tout le monde fixait la feuille de papier
sans un mot. Monsieur Darfeux chaussa
ses lunettes et lut :

– « En 1952, dans la ville de Memphis,
Tennessee, aux États-Unis d'Amérique,
une génisse nommée Carlita parvint lors
des Rencontres philharmoniques bovines
à interpréter sans aucune fausse note
l'*Hymne à la joie* de Beethoven seule à
l'harmonica. Depuis ce jour, une statue
en bronze la représentant est visible à
l'entrée sud de la ville. » Votre perfor-
mance, si belle soit-elle, ne veut donc rien

dire : on peut être musicien ET vache !

Désabusé, je plaçai doucement l'instrument dans la main de mademoiselle Latrille qui, l'air navré, me souffla à l'oreille :

– Merci. C'était tout de même très très veau.

– Allons, en route, nous avons assez perdu de temps comme ça, barrit monsieur Darfeux. Il reste l'épreuve ultime et nous avons bien vingt minutes de marche jusqu'au pré.

Le pré.

Massacrator.

J'essayai de trouver une diversion de dernière minute, un moyen d'y échapper.

Rien.

Nous nous mîmes en route. Le directeur ouvrait la marche. Quant à moi, j'étais en avant-dernière position, suivi de près par monsieur Verzy qui, de temps à autre, me donnait de petits coups de badine sur les fesses pour que j'allonge le pas.

7

Lorsque notre petite troupe, guidée par les effluves de la station d'épuration, arriva aux abords de la clôture, une brume fantomatique était tombée du ciel. On se serait cru dans un film de revenants, de morts-vivants ou de monstres fous. Ce genre de film où un taureau pouvait sans problème transformer un génie de la flûte à bec en hachis parmentier.

Massacrator était là, planté au milieu du pré, avec à ses côtés plusieurs vaches

allongées qui somnolaient. Lui, en revanche, semblait particulièrement éveillé.
Haut comme un monument aux morts,
large comme un corbillard, il ressemblait
à un gros tas de muscles d'où seuls émer-
geaient deux immenses cornes et une
paire d'yeux rouge vif. Il grognait comme
un pitbull géant et grattait le sol de sa
patte avant en nous regardant avec insis-
tance. Si on remontait l'arbre généalo-
gique de Massacrator, on y croiserait à coup
sûr un lointain ancêtre tyrannosaure.

– La vache ! lâcha monsieur Verzy.

– Nom d'un chien, ajouta monsieur
Darfeux.

– Von sang de vonsoir, murmura mademoiselle Latrille.

– Quel monstre ! Quelle horreur ! sanglota maman.

« Gloups », fit la glotte de papa.

L'adjoint au maire chargé des affaires agricoles se racla la gorge et prit la parole :

– Cette magnifique bête a été élue Taureau le plus dangereux de France trois années de suite au Salon de l'agriculture de Paris. Rien que pour l'année passée, il a envoyé trente-trois personnes aux urgences, dont dix-huit gendarmes qui essayaient de le maîtriser.

Je sentis alors mes genoux faire des castagnettes, mon estomac des sauts périlleux et mes intestins se changer en turbine à chocolat. J'étais sur le point de faire machine arrière, d'avouer tout ce qu'ils voulaient entendre, lorsque je croisai le regard de maman.

Ce n'était pas sur une génisse qu'elle posait des yeux mouillés et remplis d'amour. C'était sur moi, son fils. Son petit garçon.

Il fallait que j'aille jusqu'au bout. Que je leur prouve qui j'étais vraiment, quitte à me faire piétiner par un tank poilu.

Je me tournai vers monsieur Darfeux et, la voix sourde, je dis :

– Nous sommes bien d'accord : si Massacrator me fonce dessus et essaye de me changer en bouillie, je suis un petit garçon.

– Tout à fait. Et s'il est gentil avec vous, vous êtes une vache. Ce qui, soyez-en persuadé, ne fait aucun doute.

– C'est ce qu'on va voir.

Et sans plus attendre, je me glissai sous le fil électrique qui entourait le pré.

Je n'avais pas fait un mètre quand Massacrator poussa un rugissement de dragon à qui on aurait donné un coup d'épée au derrière et fonça sur moi à la vitesse d'une boule de bowling lancée à toute allure.

Ma mère hurla.

Les poings serrés, je fermai les yeux, totalement paralysé, attendant le *strike* en essayant de me rappeler les meilleurs souvenirs de ma courte vie.

Dans cinq secondes, je ne serai plus ni enfant ni vache, mais serpillière.

Cinq.

Quatre.

Trois.

Deux.

Adieu.

Un.

Un.

Un ?

Pas de choc.

Juste les croassements de quelques corbeaux lointains et une sensation de chaud dans les narines.

Après un long moment, je parvins à ouvrir un œil.

Massacrator était là. Il s'était arrêté et son énorme museau était collé à mon nez. Ses yeux écarlates n'exprimaient plus aucune colère, mais plutôt de la tendresse.

Oui, à cet instant, j'eus l'impression qu'il voulait m'embrasser sur la bouche !

Ce qu'il fit sans attendre.

Sa grosse langue bleue sortit de sa gueule poilue et il la passa sur mon visage en partant de mon menton pour aller jusqu'au sommet de mon crâne. Ainsi, il me coiffa instantanément les cheveux en arrière, comme si je m'étais appliqué un pot entier de gel sur la tête.

La bête ne grognait plus. Elle roucoulait comme une tourterelle amoureuse.

Ce qui me faisait deux nouvelles – une bonne et une mauvaise.

La bonne : j'étais en vie.

La mauvaise : j'étais une vache.

Fou de joie, monsieur Darfeux passa sous le fil à son tour et pénétra dans le pré en riant comme un dément. Il bondissait en ma direction en hurlant :

– Je le savais ! Je le savais ! Mon ordinateur ne se trompe jamais ! Jamais ! AH AH ! jamais ! Vous êtes bel et bien une génisse ! Bel et bien bovin ! Vous ne pouvez plus…

Le directeur ne termina jamais sa phrase, car Massacrator avait décidé de se débarrasser sans attendre de cet humain-là.

Les cornes l'attrapèrent par la ceinture et le soulevèrent dans les airs aussi facilement que s'il avait été une feuille morte. Après un magnifique vol plané de plus de vingt mètres, monsieur Darfeux atterrit sans grâce dans un bosquet composé d'orties, de ronces et de chardons dans lequel il disparut totalement.

Alors que monsieur Verzy se précipitait pour le sortir de là, que le journaliste vérifiait qu'il avait bien réussi sa photo du vol et que ma mère tentait de réanimer mon père, évanoui depuis le coup de langue, je sortis du pré, la tête basse et l'œil vaincu.

En traînant la patte.

Un peu comme on va à l'abattoir.

8

Attaché à l'arbre de la cour, j'attendais.

À mes côtés, mes parents me disaient de ne pas m'en faire, qu'ils viendraient me voir souvent, qu'ils m'apporteraient des sucreries tous les jours et qu'ils avaient veillé personnellement à ce que mes jouets soient bien installés dans ma nouvelle chambre.

Qui n'était pas une chambre.

Mais une étable.

Trois jours s'étaient écoulés depuis l'épisode de Massacrator. Je songeai à ce qui s'était passé depuis.

Monsieur Darfeux était ressorti de son petit coin de verdure en gémissant, couvert de cloques, d'égratignures et de bleus de la tête aux pieds. On l'avait illico emmené aux urgences. Puis le conseil municipal s'était réuni pour savoir ce qu'on allait faire de moi. Il leur était vite apparu qu'on ne pouvait m'envoyer à la boucherie. On ne découpe pas en rondelles une vache qui joue du Mozart.

On ne pouvait pas non plus me laisser rejoindre l'appartement de mes parents. Un mammifère herbivore dans un ascenseur, cela aurait fait mauvais genre.

On décida donc à l'unanimité de m'offrir un petit pré rien qu'à moi, avec étable privée exposée plein sud et matelas moelleux.

On choisit l'endroit, un champ de trèfles situé dans le village voisin, et tout le monde but le verre de l'amitié avec le sentiment du devoir accompli.

L'heure du départ était maintenant venue.

Mes parents avaient tenu à être là lorsque la bétaillère viendrait me prendre. Ma mère était bien jolie avec sa robe noire. Mon père, quant à lui, avait enfilé une chemise rouge qui m'agaçait au plus haut point, sans que je sache vraiment pourquoi.

Nous étions mercredi, et lorsque monsieur Verzy ouvrit les grilles pour laisser entrer le camion à bestiaux, pas un élève n'était dans la cour. Pas un pour me dire au revoir.

Maman pleura un peu. Papa renifla beaucoup.

Le conducteur du véhicule sauta du marchepied, ouvrit la porte arrière et se dirigea vers nous. Il avait un petit ordinateur portable dans la main droite, et dans la gauche, une sucette qui ressemblait comme deux gouttes d'eau à celle de monsieur Verzy.

– Bonjour, m'sieur-dame. Où qu'elle est, la vache ?

Mon père ne put répondre et se contenta de me désigner d'un doigt tremblant.

– Viens là, ma belle, fit le chauffeur, ça fait pas mal.

Il prit ma main dans la sienne et passa la sucette sur mon code-barres.

– Ben v'là aut' chose ! ronchonna-t-il en consultant l'écran.

Il frotta la sucette contre sa manche et la refit passer au creux de ma main. Il regarda de nouveau l'écran, me fixa un instant et, d'une voix solennelle, il m'annonça :

– Vous ne pouvez pas entrer dans ma bétaillère.

– Pourquoi ? demanda ma mère épuisée.

– Parce que les enfants sont interdits dans nos véhicules.

– Les... Les quoi ? bredouillai-je.

– Les enfants ! L'ordinateur est formel. Cela ne fait aucun doute. Vous vous appelez Paul Moulin, vous avez dix ans et il vous reste deux dents de lait.

Sonné, je regardai mon code-barres.

Comment ne pas y avoir pensé plus tôt...

La croûte de l'égratignure était tombée, et à la place, il y avait une petite trace rose pâle presque invisible.

Maman me sauta au cou, m'embrassa en pleurant de joie.

Puis, cela fait, elle mit un temps incroyable à ranimer papa.

9

Jeudi matin.

Les mains dans les poches, la capuche tirée jusqu'au-dessus du nez, je savourais chaque mètre qui me rapprochait de l'école. Dans quelques minutes, j'allais pénétrer dans la cour, monsieur Verzy me passerait la sucette sur le code-barres, alors tous les camarades et professeurs réunis m'acclameraient d'une seule voix. Puis le directeur viendrait se mettre à genoux devant moi pour implorer mon

pardon. Peut-être même l'école porterait-
elle mon nom, avec une plaque de marbre
à l'entrée de la cantine sur laquelle on pourrait lire : « À Paul Moulin, être humain
formidable et ami des bêtes ».

Oui. Cela devait se passer ainsi.

J'accélérai le pas et arrivai bientôt
devant le portail. J'enlevai ma capuche et
essayai de prendre mon air le plus adulte
possible. Un mélange de James Bond et
de Louis XIV.

Héros et royal.

J'entrai.

Et rien ne se passa comme il se devait.

À l'accueil, pas l'ombre d'un monsieur
Verzy, pas un élève. Des cris provenaient
du centre de la cour, où une foule com-
pacte me tournait le dos. Je me faufilai
dans la masse en jouant des coudes pour
arriver enfin au premier rang. Là, je

retrouvai A1-2C4, qui hurlait elle aussi :

– Allez, Verzy ! Encore un effort !

Sa voix, comme chaque fois, me fit un effet bœuf.

– Salut, A1-2C4.

– Ah ! Salut, 13-NRV. T'as vu ? C'est dingue !

– Oui, je sais, je suis revenu, c'est dingue, je…

– Je ne te parle pas de ça ! Regarde plutôt par là…

Émeline me saisit le menton et dirigea mon visage vers le châtaignier.

Bouche bée, j'assistai au spectacle moi aussi.

Monsieur Verzy, armé d'un gigantesque filet à papillons, tentait tant bien que mal de grimper à l'arbre. En haut, sur la plus haute des hautes branches, un homme en costume à grands carreaux jaunes,

chaussures vernies presque vertes et couvert d'égratignures de la tête aux pieds,
hurlait :

— C'est une erreur, je suis monsieur
Darfeux, je suis le directeur de cette
école ! Laissez-moi tranquille !

Ravalant ma salive, je demandai à Émeline :

— Qu'est-ce qui se passe ici ?

— Ce matin, en arrivant à l'école, Darfeux a demandé à Verzy de vérifier sur
son code-barres de directeur si l'ordinateur était bien en état de marche. Verzy a
passé la sucette et la machine a révélé
la vérité.

— La vérité ? Quelle vérité ?

— Sur monsieur Darfeux. Ce n'est pas
un directeur. C'est un *ornithoptera*.

— Un quoi ?

— Un *ornithoptera*. Un papillon rare

qui vient de Malaisie. Ça vaut une fortune par chez nous. C'est pour ça que Verzy veut le choper avant qu'il ne s'envole.

– Et Darfeux, comment il est monté là-haut ?

– Alors ça, aucune idée…

– Je vois.

Un sourire en coin, je quittai la foule en délire au moment où elle applaudissait monsieur Verzy qui, une nouvelle fois, venait de tomber sur les fesses, et je me rapprochai de ma salle de classe.

Assis sur le pas de la porte, je sortis de mon sac une briquette de lait, perçai un petit trou à l'aide d'une paille en plastique et commençai à siroter lentement.

C'était vraiment délicieux. Comment pouvait-on y être allergique ?

Une fois la briquette terminée, je contemplai mon code-barres.

XWZ1972W13-NRV
Je le fis disparaître dans mon poing.
13-NRV
Non.
J'étais Paul Moulin.
Mammifère omnivore de dix ans.
Paul.
Un enfant.

J'enfouis ma main dans ma poche et entrai dans la classe vide en sifflotant une petite marche de Mozart.

TABLE DES MATIÈRES

Emmanuel Bourdier

Je ne vois pas ce que cette histoire a d'étonnant !

Je suis sûr que, comme moi, tu as déjà vu des hommes jouer avec leur narine dans les embouteillages pour se transformer aussitôt en cochons, des femmes écureuil faire des réserves de noisettes le jour des soldes ou des adolescents devenir des paresseux à poils courts.

Et toi ? Ne viens-tu pas de dévorer ce bouquin comme un lion affamé ?

Non, moi, ce qui m'étonne, c'est que mon fils, depuis son entrée à la maternelle possède un badge avec code-barres intégré avec lequel il pointe chaque matin. Une machine lui dit « bonjour Martin », Martin ne répond pas, il dit juste à la machine s'il mange à la cantine.

J'adore le cinéma.

J'aime des films comme *La guerre des boutons* ou *La guerre des étoiles*.

Ceci dit, je ne suis pas pressé de voir notre monde changer les Petits Gibus en R2D2…

Du même auteur :
CHEZ D'AUTRES ÉDITEURS
Billet retour, album, Océan éditions
Superdu, album, Océan éditions
Sur un fil, roman, Tribal, Flammarion
Entre chiens et nous, Petite Poche, Thierry Magnier
4 ans, 6 mois et 3 jours plus tard, roman, Castor Poche, Flammarion

Robin

Les 4 Mousquetaires
RÉMI CHAURAND ET CHRISTOPHE NICOLAS
Ill. de Robin
à partir de 8 ans

Athos, Porthos et Aramis ont bien vieilli…
À quelques heures de la retraite, ils n'ont
pas du tout, mais alors pas du tout, envie de
partir en mission au Maroc (parce que
c'est loin !) avec un petit nouveau (parce qu'il
est nouveau justement !)… De plus, le cardinal Lustifer a décidé de
saboter la fameuse mission. Mais ces mousquetaires ne sont pas n'im-
porte qui : chassez le naturel, il revient (presque) au galop !

On a un monstre dans la classe !
GUDULE
Ill. d'Anaïs Massini
à partir de 8 ans

Quel phénomène, ce Cédric ! En classe, il
faut toujours qu'il se fasse remarquer !
Quand il ne se transforme pas en loup-garou
ou en escargot baveux, il vomit des crapauds
sous le nez de ses camarades de classe.
Mais le plus incroyable, c'est que personne ne semble vraiment s'en
étonner ! Pas même la maîtresse !

Les contes : la vérité vraie !
Gudule
Ill. de Jacques Azam
à partir de 8 ans

Le Petit Chaperon était-il rouge ? Qui était vraiment Cendrillon ? D'où vient le Chat Botté ? Vous croyez connaître toute la vérité sur ces contes ? Eh bien, vous pouvez oublier tout ce qu'on vous a raconté : on vous a menti ! Heureusement, cet ouvrage très sérieux rétablit la VRAIE vérité. Il était temps...

Imprimé en France, par CPI Hérissey à Évreux (Eure)
N° d'éditeur : 10169928 - Dépôt légal : mai 2010 - N° d'impression : 113992
CPi